B 3E UJ

D0320393

Maudit cas de Jacques
Journal d'une putain violée

Emmanuel Vilsaint

Maudit cas de Jacques
Journal d'une putain violée

Monologue

Teham Éditions

© Teham Éditions, 2014

Teham Éditions
97, avenue du Général de Gaulle
94420 Le Plessis-Trévise - France
www.tehameditions.com
ISBN 979-10-90147-12-6

©Photo de couverture : Emmanuel Vilsaint

À

Ange, Giscard, Marie-Pierre

Christine Bonny partie trop tôt,
ce soir du 12 Janvier.

« Quand on est environné par la brutalité, il n'y a plus de place pour les textes raffinés. Moi, j'écris pour provoquer un peu et obliger les autres à renifler la merde. Pas le choix, il faut mettre le groin au sol et humer la puanteur. »

Pedro Juan Gutiérrez, *Trilogie sale de la Havane*
Traduit de l'espagnol par Bernard Cohen

I

(On entend au loin les murmures de Port-au-Prince éveillée. La situation chaotique dans laquelle est plongée la ville devient de plus en plus visible par les débris et déchets éparpillés sur la scène. Jacques, dans son abri provisoire, devant son miroir, vient tout juste de finir son maquillage et d'enfiler son costume de femme pour se rendre à son travail. Ses yeux tombent subitement sur un pistolet créole ; il le prend et le pointe sur sa tempe. Un temps. Il réfléchit puis le range. Il garde les yeux grands ouverts fixant son reflet. Il lui parle…)

JACQUES

(À son reflet)

Non ! Non ! Arrête. Arrête avec ça ! Je ne tuerai pas ma tête ce soir. Je ne mourrai pas.

Pas maintenant. Pas maintenant ! Je préparerai ma mort pour mourir en feu, en flamme. On en avait déjà parlé et tu le sais mieux que quiconque. Je ne peux mourir comme ça, comme ça. Je veux une mort vivante, arrogante. Une grosse mort. Une putain de mort obèse et scandaleuse pour moi tout seul. Une mort présentée en gras dans les lignes de l'humanité au bout d'un petit matin de libération de consciences. Une mort qui ouvre le robinet des larmes du monde et qui fait grincer les dents des voyeurs de cadavres en putréfaction. Voilà ce dont je rêve. Une mort qui fait galoper les donateurs, les bailleurs, les branleurs, les escompteurs. Je veux pour moi-même une mort pas comme les autres morts. Apocalyptique, la mienne, pour qu'on vienne me parler de son de trompettes finales, de jugement dernier, d'invasion de bêtes à sept têtes, de bataille d'anges et de chiens bipèdes volants, de repentance de dernière heure.

(En aparté)

Mais au fond, qu'aurais-je à me reprocher ? Me repentir de quoi ? Tchiiip ! Bref !

Je veux claquer comme un rêve dans un beau palais de plus de trois cent soixante-cinq portes. Je veux tomber solennellement comme ces trois cent mille et une poussières de soldats piégés sur le champ de bataille.

(En aparté)

Ah !

(Rire)

Quand j'y repense, pour ces Capois Lamort de mon époque, les boulets étaient aussi de la poussière : une vraie poussière collante, porteuse d'asthme, meurtrière.

Je veux des funérailles nationales et inter-nationales en mon nom, par-ci, par-là, à droite et à gauche. J'exige que chaque citoyen de tout partout observe douze minutes de silence pour chaque douze coups de brique que j'aurai à recevoir sur la tête dans un de ses douze janvier répétitifs. Et je veux surtout, en visite d'honneur et de recueillement, douze anciens chefs d'État, exilés ou enfermés, peu importe, mais accompagnés de douze belles femmes à la peau très très claire et aux lunettes fumées. Douze et douze. Ce qui fera vingt-quatre personnalités importantes au pied de ma tombe, acclamées toutes pour leur bonté et beauté au service du peuple sur le parvis de Saint-Antoine.

(En aparté)

Peut-être qu'il faudra seulement, pour les héberger, douze palais nationaux. Car chacun des douze voudra présider démocratiquement, dé-mo-cra-ti-que-ment sur douze décennies. Je le sais déjà. Je le sens. Ils sont tellement anxieux pour toi, pour moi, qu'ils voudront, tous, mettre la fin de leurs jours au service de leur belle patrie tant aimée et chérie.

(Il s'habille en tenue de circonstance. Le bras droit levé comme pour prêter serment. Ambiance investiture présidentielle)

Je jure devant Dieu, devant la nation d'en être le gardien intraitable et farouche. Que flottent désormais dans l'azur pour rappeler à tous les Haïtiens, les prouesses de nos sublimes martyrs de la crête à Pierrot, de la butte Charrier et de Vertières qui se sont immortalisés sous les boulets et la mitraille pour nous créer une patrie où le nègre haïtien se sent réellement souverain et libre.

Frè m, sè m, nou menm k ap soufri anba drapo papa Desalin lan, nou menm k ap triye sik nan sèl, nou menm k ap bat dlo pou fè bè, nou menm dwa nou pase anba pye. Jounen jodi a, kote m kanpe a, m ap di nou : Lè yon pèp nan grangou, lè yon pèp nan chomaj, lè yon pèp nan fatra, lè yon pèp nan lanmò, lè yon pèp anba kout baton, se lè sa li pi fò ! Repete : se lè sa li pi djanm ! Kisa mwen di : se lè sa li pi bèl ! Mwen pa tande : Se lè sa li pi dous ! An nou bat yon ti bravo pou tèt nou, yon ti bravo, ti bravoo. Wi ! Bravoo, bravooo, bravooo… Epi, pa neglije ba…

(En aparté)

Ah ! Il faut encore *jacquorépéter* tous ces beaux discours, toutes ces formules magiquement masturbatoires qu'ils se créent dans leur salon en grattant leurs deux petites sacoches mal soulagées. Tous leurs mensonges et ruses forgés en arme dialectique dans le but de prendre de la roue libre sur le dos du petit peuple. Voici, aujourd'hui, que je me constitue en foule inconsciente, insouciante, ignorante, sans honte et sans sentiment pour leur courir après. Je les vénère, je me mets à genoux à leurs pieds, les prie, j'attends d'eux la délivrance. Je leur cire les chaussures, lave leurs voitures, me donne à leurs femmes, à eux, vouvoie leurs enfants et petits-enfants.

*(En enlevant son beau costume prési-
dentiel, le piétinant et crachant dessus)*

Pourtant, piétinée, salie, défigurée, pillée, vio-
lée, démantibulée, commercialisée, vandalisée,
finie, ils ne me reconnaîtront pas. Ils ne m'ont
jamais reconnue d'ailleurs. Ils n'ont jamais voulu
me reconnaître, m'accepter auprès d'eux. Moi
qui les aimais. Qui leur ai été toujours fidèle. Ils
m'ont trahie. J'ai été belle, stable, propre, pure.
Ils ont fait de moi une *jeunesse*. Désormais, je
n'ai nulle autre obligation que celle d'arpenter
les couloirs de leurs ministères, les corridors
de leurs quartiers laissés pour bordel, les
coussins de leur quatre-quatre confortable à
la mode américaine. Je suis à la merci de la
bousinerie internationale, pain quotidien de tout
un peuple qui ne cessera de payer sa fierté de
nègre vaillant.

(En pleurs)

Cela fait un mois, un mois depuis que je
me suis fait chiffonner par ce sans aveu,
leur envoyé spécial. Il travaille pour eux,
du moins pour le système. J'en suis sûre.

Il n'y a pas de doute. Il s'appelle « Une-balle-à-la-tête ». Un mois que je vis avec son cauchemar injecté en moi, ce soir où il est venu me visiter. Pas pour voler mon argent cette fois, ni ma capote, mais pour mon corps, mon sang sucré, m'a-t-il dit. Étonnant désir de la part d'un mâle pur et dur qui se réclame défenseur de la virilité la plus extrême. Le voyant prendre position, je me suis dit qu'il était d'humeur théâtrale, ce soir-là. Ou même, je n'aurai qu'à me pincer pour sortir de ce rêve. J'aurais tellement aimé avoir raison. Mais j'ai fini par comprendre qu'il ne fait jamais la comédie, lui, Une-balle-à-la-tête. Il ne joue jamais. Sa vie est une interminable scène de Western qui défile aux yeux de ses spectateurs, forcés d'y prendre part. Il obtient toujours ce qu'il veut. Sitôt satisfait, il t'épargne du plus fatidique de ses châtiments : une balle à la tête. Il est de ceux qui font la loi. *« Se mwen leta. Pa gen lòt ankò, p'ap janm gen lòt »* Il s'en est vanté lorsque j'ai senti la lourdeur de son poids dans mes veines, la fureur de son sexe. J'étais forcée de lui tourner le dos et de me déshabiller, m'offrir à lui comme un plateau de viande à bon marché.

(Plongé dans le souvenir douloureux)

Il était sept heures et demie du soir. Le *fait-noir Total Capital* régnait dans le corridor Bacia, où viennent travailler régulièrement, entre six heures et minuit, les arômes de nuit. Ainsi nous appelaient les officiers d'état civil dans leurs habitudes de se parfumer de nous. J'ai regardé le ciel obscur, sans étoiles pour moi ni pour les damnés de la vie qui voient partir en lambeaux le plus pur de leurs rêves, en ces heures diaboliques. Lorsque s'approcha la cruelle silhouette de mon agresseur entre l'ombre de ma peur et la fine lumière céleste, je n'ai eu, dans ma tête, ni prière ni demande de grâce. Je me suis sentie finie. Alors j'ai seulement pensé à fermer les yeux. Puis une chanson de mon enfance m'est remontée en tête. Je l'ai fredonnée, fredonnée doucement, doucement dans mon cœur, n'osant me rendre hardie face à la brutalité toute puissante.

PREMIER CHANT
Manman'm voye'm peze kafe an arivan'm sou pòtay yon jandam arete mwen

II

(Seul, il reconstitue la scène de viol.
Dialogue entre lui et Une-balle-à-la-tête)

— Plus rien ne va, ce soir. Il faut me croire.
Les *morenitas* m'ont raflé tous les clients :
vagabonds, mineurs, sexagénaires, hommes
sérieux, hommes mariés, fonctionnaires, tout.
Je ne peux même pas m'acheter une boîte de
capotes.
— Oh... Pauvre Jacques ! Jacques de Ti Trou
Bonbon, celui qui paye pour les crimes de
l'humanité. Il est venu ici, au corridor Bacia,
pour nous sauver. Quiconque mange son corps
et boit son sang sera racheté de ses péchés et
recevra le salut, la vie éternelle. N'est-ce pas ?
— Qu'est-ce... qu'est-ce que tu veux ?
— La paix ! La paix dans la tête, la paix
dans le ventre, un monde sans pleurs et
sans souffrances, les trois caravelles de
Christophe Colomb : la Pi... la Pi... la Pi... Grrrr !

Tu ne m'aides pas à les citer, petit insolent, toi qui vas jusqu'ici à l'école ?

— La Pinta, la Nina, la Santa Maria

— Eh bien, voilà. Tu peux être brillant quand tu veux. Tiens... tiens... Ma vieille mère disait toujours : « L'éducation dans ce foutu pays qu'est le nôtre est une chance qu'il faut savoir saisir au moment opportun ». Ah ! Elle avait tellement raison, la pauvre... Paix à son âme

— Arrête de jouer à l'homme sensible. Ce n'est pas ton genre. Dis-moi ce que tu veux vraiment.

— *(Rire)* Eh bien, je veux l'Amérique, la lune, le paradis, l'espoir. Mais, je me contenterai de ce que tu sais donner le mieux. J'ai faim ! *(En touchant son sexe)*

— De quoi tu parles ? Ça sent l'alcool partout. Tu as sûrement trop bu.

— Jacques... Jacques... tu veux que je te dise quelque chose plus vrai que nature... Tu joues depuis quelque temps sur un terrain qui n'est pas le tien, et moi, je t'ai accueilli, aimé, protégé des griffes de chasseurs nocturnes : les mauvais esprits, les loups-garous, les policiers, les malfaiteurs, les religieux, Jacques, les religieux qui voulaient te déchoir de ce si beau nom maternellement acquis : « Le cri de plainte concernant Sodome et Gomorrhe, oui, il est fort, et leur péché, oui, il est très lourd ; Genèse 18:20 ». As-tu eu le temps d'oublier ça ? Hein, Jacques. Si je fais confiance à ma petite mémoire, je me rendrai compte que tu ne m'as jamais renvoyé l'ascenseur, jamais, jamais ! Pas même, un petit morceau de merci comme un os jeté à un chien galeux, pour mon pauvre petit cœur affamé d'amour et de douceur. Rien ! Tout ce que tu m'as donné, c'est ton indifférence, ton ingratitude glissée en forme de sueur boueuse sur ta colonne vertébrale chaque soir pendant que tu t'amuses et fais fortune sur le dos de mes invités qui passent et repassent en toute quiétude dans mon corridor, ma rue. Et ça, je t'en voudrai jusqu'à ma mort et ma résurrection. Oh ! Il n'y a pas plus ingrat qu'une rivière de sueur boueuse. *(On peut s'imaginer qu'avec son index il caresse légèrement le dos de Jacques pour mimer la sueur qui coule)* Elle coule, la sueur boueuse, ne témoignant point de reconnaissance envers le dos qui forme sa cascade et fixe sa trajectoire. Que serais-tu donc sans moi, ici, dans cet enfer peuplé de démons. Je suis l'ange déchu parmi eux, le protecteur des agneaux fatidiquement plongés dans les ténèbres. Mais Dieu seul sait à quel point certains agneaux au cœur impur peuvent parfois se transformer en vulgaires loups pleins de ruse et méchants.

— Pardon... pardon ... Une-balle-à-la-tête, je n'ai pas voulu être ingrat ni méchant envers toi. Ce qui se passe, c'est que je n'ai rien à t'offrir.

— Ahhh ! Ahhh ! Laisse-moi rire ... rien à m'offrir ? Ahhh... Ahhh ! *(Subitement nerveux)* Répète ça donc, pour que le ciel et la terre sonnent leur glaive de colère contre toi et pour que se déclenche l'apocalypse ! Tu es naturellement généreux, Jacques ! Tu t'offres aux autres. Tu es fait pour ça. Tu as une mission à accomplir : une petite vierge destinée à devenir putain, voilà ce que tu as toujours été, dès ta naissance ! Mais une putain-diva à mes yeux *(On l'imagine en train de caresser le visage de Jacques)*. Putain et diva à la fois. N'est-ce pas une preuve d'amour, de générosité que de s'offrir aux autres ? Hein, hein Jacques ?

— Ici, nous ne sommes pas réunis autour des qualités ni des sentiments. C'est d'ailleurs leur absence qui nous fait rester présents. Nous sommes des tonneaux vides jetés dans l'océan dont leur seule dérive a pour capitaine la voltige des vagues folles. Ici, les gens qui s'empressent de nous voir n'attendent ni amour ni tendresse. Ils viennent dans l'unique but de satisfaire, au fil de la nuit invisible, discrète et confuse, des besoins honteux et sordides, des besoins plus intenses que la raison et plus puissants que les forces spirituelles. Crois-moi... Si je me retrouve à cette heure obscure, dans cet enfer peuplé de démons, à m'offrir, ce n'est ni par amour ni par générosité, mais plutôt par nécessité, par simple nécessité.

— *(Nerveux)* Nécessité ? Mais ce n'est pas assez pour tenir ma rue. Qu'est-ce donc, ça, nécessité ? De la passion, Jacques, voilà ce qu'il te faut, ce qu'il nous faut, de la passion. Ta nécessité, les gens ici présents s'en moquent complètement. Ils s'en branlent ! Ma rue, ce n'est pas un bordel, ce n'est pas une maison close où des azimutés irrécupérables s'enferment à double clef pour gesticuler en présence de juments qui ne demandent qu'à se faire vulgairement sauter dessus ; ma rue, c'est bien plus que ça. Sur cette rue, Jacques, j'ai bâti mon église. Elle est un monument d'adoration, une chapelle où viennent se recueillir des pécheurs, des brebis perdues, en quête de repentance. C'est la communion du corps et de l'esprit, c'est la réunion des sept sacrements autour d'une seule et même table, le miroir de la trinité, c'est. Ma rue est un refuge où l'on vient chercher paix, rêve, passion. C'est la maison du Seigneur. Alléluia !

« Venez à moi, vous qui êtes fatigués, je vous donnerai le plaisir éternel. » Mais méfie-toi de cette rue généreuse, Jacques, elle est parfois jalouse, très jalouse, et peut aussi donner que reprendre. C'est une vieille coriace, tout comme son proprio. Son pavé, tout comme la chair de son maître, est fait de la même matière que la passion. La passion... *(Rire)* guide de toute action humaine, qu'elle soit mauvaise ou bonne. La passion... *(Rire)* Es-tu prêt à en fournir par ici, Jacques ?

— Oui... oui... Je ferai tout mon possible... Hélas ! Nul mortel pécheur comme moi ne saurait donner de l'amour propre à toute une rue peuplée d'inconnus. Pardon... pardon... je voulais dire... à toute une église peuplée de fidèles.

— Eh bien, donne-m'en à moi, tout simplement. De l'amour propre, c'est ce dont j'ai besoin ; et moi, en retour, je te cogne *(Il touche son sexe)*

— Non... non... s'il te plaît, tout ce que tu voudras, mais pas ça *(Il sort de l'argent qu'il a caché en lieu sûr)* Tiens, prends : de l'argent. Tout ce qu'il me reste. Je te le donne pour témoigner ma gratitude envers ta bienfaisance.

— *(On imagine qu'il le repousse d'un geste violent de la main)* Je m'en fous de ton argent.

Je n'ai pas besoin d'argent. Je veux que tu me donnes de l'amour, de l'amour propre comme tu appelles ça, et moi je te cogne. *(Il touche son sexe et sort sa langue)* Je te cogne avec ma grosse queue de nègre à moitié circoncis *(Rire)*. *(On imagine qu'il retourne Jacques pendant qu'il se déshabille lui-même. Jacques se débat et essaie de le convaincre d'arrêter)*

— Peut-on appeler ça de l'amour, ce partage déséquilibré et épouvantable ?

— Moi, j'ai besoin d'amour. Toi, tu as besoin qu'on te cogne comme on te fait d'habitude. Tu aimes ça... hein... dis, tu aimes ça. Ça te fait jouir et péter de chaleur.

— Non ! C'est faux ! Toutes les femmes ont besoin d'amour.

— *(Surpris)* Pardon ! J'ai cru comprendre que tu viens de dire : « Toutes les femmes ont besoin d'amour. » Toutes les femmes ? Ahhh ! Ahhh ! Mais regarde-toi, bon sang. Tu auras beau remplir ta poitrine avec de la pisse de porc et porter sur ta tête ces poils de bourrique, tu ne seras jamais une femme. Sors ça de ta petite cervelle remplie de matière crasseuse. Tu es condamnée à porter entre les cuisses deux petits sacs à merde. Mais, moi, je m'en fous. Je te cogne quand même comme te font les autres, parce que tu aimes ça.

Tu aimes que je te cogne avec ma grosse queue de nègre mal circoncis. Hmmm ! Hmmm ! Hmmm !

(En aparté, avec douceur)

Non, Une-balle-à-la-tête, je serai toujours femme et belle aussi longtemps que mon regard pourra séduire la vie. Souviens-toi... dans mon pays, sur ma terre natale, toute femme est un nègre, car dans chaque nègre sommeille une femme : Femme-*douboute*, vaillante, maîtresse amoureuse des maisons d'aujourd'hui et de demain, femme qui n'aura cessé d'être guide pour avoir été un jour mère, grand-mère, femme, notre Lucie à tous, Marie-Jeanne de nos infatigables combats, Erzulie de notre sang et racine. C'est en hommage et admiration à toutes les mères, femmes et épouses du monde que je me présente aujourd'hui, non pas en guerrier triomphant de dernière bataille, mais en nègre doux, pacifique, tendre, amoureux de la vie, amoureux de l'Homme.

Toi aussi, tu es femme, mais tu refuses de l'admettre. Il n'y a point de différence corruptible, là où chaque matière est appelée à redescendre à son immortelle matrice pour se faire à son tour génératrice de vie. Chair de même chair, chair d'humain par laquelle circule le même sang, gonfle les mêmes veines, femme est homme, homme est femme.

(Il est d'un seul coup frappé par d'autres vies et d'autres voix dans sa tête, il bouge dans tous les sens, comme attaqué par des démons puis, se met à genoux, essayant de se défaire de cette force mystérieuse)

Oh ! Oh ! Oh ! Je les sens ! Je les entends ! Je les vois ! Je les vis ! Oh ! Oh ! Oh ! Toutes ces femmes, à l'heure qu'il est, se faisant piétiner, écraser, frapper, voler, violer. Je sens effleurer sur ma peau, leur petit souffle qui se mêle au souffle du temps. Je vous jure ! Je sens la petitesse de leurs membres, sous ma peau, dessiner la souffrance de leurs jours amputés. Elles existent, oui, elles sont réelles, elles sont bien là !

Oh ! Oh ! Oh ! Elles crient, elles rient, elles avancent, elles viennent vers moi.

(Il exécute une danse en bougeant chaque partie supérieure et inférieure de son corps)

Oh ! Oh ! Oh ! Elles sont en moi ! Elles ne sont plus seules dans la rue ténébreuse et déserte. Je donne, à présent, corps à leur corps, vie à leur vie, voix à leur voix. Je suis désormais elles.

Vous les entendez ? Vous les voyez ? Vous les sentez ? Femmes de tout bord, putains de tout genre : putain-étudiante, putain-artiste, putain-militante, putain-politique, putain-militaire, putain voilée, putain-visage découvert, putain-chômeuse, putain-secrétaire, putain-marchande, putain d'usine, putain des bois, putain des rues, putain laveuse de bouteilles, putain-casseuse de pierres, putain des chambres d'hôtel, putain sœur, putain mère, putain père, putain homme, putain femme.

Entendez-les, voyez-les, sentez-les ! Ce sont elles... Ce sont elles qui se redressent devant la fureur phallocrate, animées par l'ultime force secrète de la vie. Ce sont elles qui marchent vers la lumière éternelle et disent :

> *(Il se redresse, les bras tendus, il est zombifié et exécute des pas de robot puis, s'immobilise en face du public)*

« Joue, joue-moi avec ces cordes lugubres accessibles sous ma peau. Les notes obtenues, sensualités discordantes enfonçant pour la pénultième fois ta voix épineuse dans ma tête comme dans mon sang. Joue, joue, joue-moi avec cette nuque douloureusement penchée sur ta gauche comme pour saluer le temps errance des saisons courant nues sans avant ni arrière. Joue-moi avec ces doigts fougueux marquant la démesure de mes désirs. Mes veines pressées – délicatesse – une par une. Sentir la vie, au-delà de mon âme, se réjouir de sa sonorité majeure. Joue, joue, joue-moi avec cette trique harmonieuse. Ce mouvement de chair. Cet assoupissement sauvagement fugace. Joue-moi plus vite que voulu, encore plus vite que la mort, le silence. Car je n'appartiens plus à mon dernier souffle. Mon lyrisme est hors verbe. Je suis forgé de bois. Allez, joue, joue-moi.

Moi, moi-même, femme, putain, Erzulie Dahomey, enfant d'île. Moi qui cherchais la liberté avec des yeux de soleil et qui n'ai voulu partir avant la vie. Moi qui parlais à la mer de désirs, je me suis retrouvée larguée par-dessus bord pour la saison des cœurs en chaleur, en liberté. Peut-être que je rêvais.

L'horizon vêtu de blanc divin comme la Madone du dernier testament m'a ouvert les bras. Douleur pétrifiée sous des pieds de sirène : ce n'était que la vie retrouvée derrière le miroir du silence. »

III

J'ai été porter plainte. Je ne suis pas fils d'Untel. Le fonctionnaire de police avait mieux à faire et n'a pas pris en considération ce cas de Jacques. Qui connaît Jacques, ici ? Qui prend la peine de le connaître ? Dis-moi qui a envie de connaître cette espèce sans carte d'identité, sans numéro de domicile, sans pain pour son quotidien, sans sépulture pour son mort à laquelle j'appartiens ? Pour quel homme, pour quelle femme ce système démoniaque ferait-il de sa parole la parole des bouches sans paroles ?

Essayant de répondre, jour et nuit, à toutes ces questions d'ordre existentiel, j'ai fini par savoir pourquoi, vivre, pour moi, rime avec malheur. C'est ce qui m'aura permis par la suite de supporter la honte aussi lourde qu'un sac de charbon de bois qui allait peser sur mon épaule.

Grâce à ce fardeau insupportable, mon âme s'est enfin libérée de sa sueur purificatrice qui coula à flot pour me laver le corps. L'eau de mon corps a baigné mon corps. Ainsi, je suis devenu un homme nouveau.

Au fil du temps, je me suis scolarisé dans la meilleure école qui soit : la chienne de vie, la vie de la rue où il faut apprendre à cadencer discrètement de gauche à droite, et de bas en haut, lorsque sous le soleil matraqueur, la chimère de grands goûts remonte à la bouche et te fait sentir affamé. Je devais également apprendre à cohabiter avec toutes sortes de plaies providentielles, comme les secousses sismiques, le choléra, les bactéries inconnues, la pluie, l'un de nos pires ennemis, qui s'amusait à mitrailler, le soir, nos rêves bidons de nouveaux riches : cravate, costume, pieds fromageux. C'est dans cette école que j'ai puisé la philosophie de la résistance.

Mais le pire, dans ce calvaire, allait être ma déception : quand je pense que j'ai baptisé pour ce système grand mangeur, Esperanza, ma fille. Belle petite sœur aux fossettes profondes, aux dents blanches d'innocence.

J'éclairais mes pas dans le sillage de son sourire. Pour elle seule, je me suis offert, jet d'eau inépuisable, au bord des routes. Ma vie, elle était. Don du ciel qu'ils m'ont enlevé et vendu aux acheteurs de la mort. Ils l'ont laissé crever de faim, de soif, de chaud et de froid. Je n'ai pas eu le temps de lui faire signe de la main, lui donner à manger, à boire, à jouer avant son départ. Je n'ai pas eu le temps de prier sur sa tête. Je n'ai pas eu le temps de veiller sur elle au clair des lampes étoilées... Si seulement je savais qu'elle allait me quitter, je lui aurais mis sa petite robe rose. Rose était sa couleur préférée. Elle rêvait d'habiter avec sa petite poupée dans une vraie maison pour enfant. C'était son rêve de petite fille, son désir, sa liberté à elle.

Juste avant sa décadence, il me venait souvent à l'esprit cette folle passion de la regarder, l'admirer comme pour une désolation, une tristesse, une impuissance. Deux fois, je l'ai prise dans mes bras, seulement deux fois, petite fleur qui fanait. Je l'aimais, je l'admirais. Je l'aimais avec mes yeux, ma bouche créole qui en pleine nuit fredonnait la mélodie de son enfance.

Je l'aimais au mitan de tout ce vacarme maudit qui résonne de notre souffrance. Et parce qu'on était relié par le même cordon ombilical. Parce que de mon sang, je colorais la noirceur de ses veines, je l'ai fait fille mienne au mitan de cette famine qui piétine notre seule et même existence.

(Il lève les yeux vers le ciel pour s'adresser à Esperanza)

Mais pardonne-moi, Esperanza. Pardonne-moi de n'avoir eu que mon amour à t'offrir. Un amour si seul, si sale ! Amour de tout genre ! Dis-moi, Esperanza de ma douleur, pourquoi es-tu partie si tôt. Est-ce parce que mon cœur est si petit et ne peut recueillir les cris de ton innocence ? Il n'y avait plus de place pour héberger tes désirs d'ange? Si tu revenais un beau matin d'aube lointaine, dans mes pauvres petits bras, comme autrefois, je bercerais ton doux réveil.

(Il se met à bercer un enfant imaginaire)

Pardonne-moi. Je t'aime encore, mon enfant, mon espoir.

(en pleurs)

Kote w prale, kibò w rete, ki non manman w, ki non papa w, ki siyati w. dodo ti titit manman, si ou pa dodo, krab la ap manje w…

IV

*(Il se redresse virilement. Il est animé
par un esprit de vengeance)*

Une-balle-à-la-tête, maintenant c'est moi qui
te cause. Paroles d'homme à homme.
Écoute ça si t'es un homme, un vrai, un dur,
comme tu le prétends :

Je ne tuerai pas ma tête ce soir. Je ne mourrai
pas. Pas maintenant ! Pas maintenant, j'ai dit !
Tu aimerais que je ne sois plus là, à l'heure qu'il
est, n'est-ce pas, pour ne plus avoir à témoigner
contre toi le jour du jugement dernier. C'est
pour ça que tu m'as vendu un pistolet créole
comme prescription médicale. Pour que je
m'efface aux yeux de la terre entière. Je ne te
ferai pas ce cadeau. Tu aimerais jouir de cette
impunité éternelle qui te ferait marcher avec
ma ville dans ta poche. Tu n'es qu'un lâche ! Tu
aimerais ne pas avoir à répondre de tes actes

cruels devant les tribunaux de tes propres martyrs. Tu aimerais ne pas nous entendre, nous, tes puants, tes putains, tes créatures du sous-sol prononcer haut et fort ton verdict :

(en pesant sur chaque mot, exaspéré, il prononce un verdict)

Pour avoir écrabouillé nos cerveaux
Et volé nos pensées d'hommes et de femmes fiers

Pour avoir crevé nos yeux
Et enlevé nos bâtons

Pour avoir arraché nos dents
Et nous avoir laissé crever de faim

Pour avoir martelé l'espoir
Aux portes de nos rêves

Pour avoir tué la vie
D'un coup de mort

Vous êtes reconnu coupable !

(Avec une rage démesurée)

Coupable, coupable, coupable, coupaaaaable !

(Un tir se fait entendre, il sursaute et part se réfugier sous des débris)

(un temps s'écoule)

(il sort timidement de sa cachette pour aller récupérer quelques effets importants. Sûr qu'il n'y a aucun danger, il se met à murmurer des insultes qu'on entend à peine. Il est comme devenu fou, il se replace devant le miroir, puis s'adresse de nouveau à son reflet)

Non, je ne tuerai pas ma tête. Je ne mourrai pas. Pas maintenant. Je ne peux mourir sans témoignage vivant. Il me faut écrire, oui, écrire. Laisser quelque chose derrière moi, construire un nom, une image, peu importe : je suis un poète bâtisseur.

(En posture d'empereur, d'un ton arrogant)

Ici, pour graver à jamais mon regard dans le reflet du jour, je ferai construire un poème.

Je ferai édifier un immense cœur nègre pour pousser mes aveux solitaires plus loin que ce royaume que mon image en veilleuse étreint.

Trois cent soixante-cinq mots que je donnerai à toutes les petites têtes du monde entier, lourds à supporter.
Trois cent soixante-cinq mots pour élever les bouches mal parlantes au rang de grands diseurs vacillés de nuits folles.
Trois cent soixante-cinq mots blindes et dingues, mi-haut, mi-bas, fardeau au mitan des carrefours quatre, carrefour *ti fou*.
Trois cent soixante-cinq mots pour arroser de fraîcheur tous les devant-portes et conjurer le sort du silence obscur. Trois cent soixante-cinq mots à battre, à travailler, à façonner en œuvre d'art dialectique. Trois cent soixante-cinq mots pour habiter le cœur de belles femmes d'îles comme une ville habite un peuple possédé de catastrophes. Trois cent soixante-cinq mots grenadiers à l'assaut des forteresses de cœurs solitaires. Trois cent soixante-cinq mots lancés en bombe H.
Trois cent soixante-cinq mo(r)ts.

(D'un ton plus naturel)

Immortaliser dans l'encre noire universelle la profondeur de mon être en désolation. Rédiger ma triste vie en journal intime et laisser derrière moi une poésie humaine tragique. Transformer en chef d'œuvre mes jours de ruine et de misère au soleil : la mélodie bandéoniste de mes tripes tressées, la mendicité de mes mains souillées, le sucre dans ma sueur d'échine pliée, la noyade du rêve dans mes yeux de *boat people*. Oui ! Une écriture noire, totalement noire. Une invitation littéraire faite à la postérité. Ah !

(Avec des yeux rêveurs)

Nos enfants le liront, leurs enfants, puis leurs petits-enfants.

(Rire, d'une joie sadique)

Nos voisins le liront, leurs voisins, les voisins de leurs voisins qui le feront lire à leurs voisins. L'Amérique le lira, l'Europe, l'Asie qui le fera lire à l'Afrique, l'Océanie.

(En ouvrant les deux bras et en criant)

La terre entière le lira !

(Il s'arrête net, refixant son reflet, d'un ton colérique)

Qui m'arrêtera ? Qui m'empêchera d'écrire ? Quel critique m'assassinera ? Quel correcteur viendra me briser les doigts, clouer ma bouche, laminer ma cervelle ? Dis-moi qui, d'une étrange fureur, viendra disperser mes mots atomiques. Faites-les moi entrer par la grande porte. Qu'ils ouvrent les yeux et regardent autour d'eux.

(Il montre du doigt les quatre coins sales de sa demeure dans un délicat mouvement de rotation)

Oui ! Bien, ici, ici, ici. Que peuvent-ils voir d'autre ? Un rêve de fou. Une prophétie maudite qui fait croire à une vieille ville édentée qu'elle est séduisante, belle et que voici venu le jour où elle peut sourire et rire aussi loin que peuvent porter les notes discordantes de ses entrailles.

(Il fait signe de respirer fort une odeur nauséabonde)

Qu'ils ouvrent leurs narines pour respirer les fortes senteurs qui déforment mes mains pluvieuses : Ah ! La pestilence, décharge de mes passants à couilles plombées. Qu'ils me prêtent leurs mains.

*(Il ferme les yeux et caresse légèrement
le corps)*

Oui, comme ça. Jeu de scrabble babélique tissé
à cent mille mesures précises sur tout le nègre
de mon corps. Petit poème largué en vrac sur
une ardoise émaillée parlant le créole de mes
amours punies.

*(Toujours les yeux fermés et en penchant
légèrement la tête pour vivre l'orgasme)*

Qu'ils me prêtent leurs oreilles pour recevoir
le sourd murmure du vent affamé dans lequel
je garde mes désirs, mes blessures. Je veux
également leur corps, leur corps-tableau pour
dessiner avec des grains de poussière mon
destin tournant sur lui-même, tournant sur la
ronde.

*(Il ouvre les yeux et sort de l'état
orgasmique)*

Ils ne voudront sûrement pas. Ils n'ont jamais
été là pour ça. Comprends-tu leur mépris ?
Ils n'ont rien dit dans la déportation de ma
chair et la brisure de mes os. Martyr séquestré
dans le serein, sous la pluie, ils m'ont laissé
seul, tout seul avec des doigts blessés tisser

ma colère sur des tiges de palmiers verdoyants et offrir au cœur des cyclones, muses des gibiers abattus, mes indicibles souffrances. Aujourd'hui encore, je suis seul, tristement seul. Les mots ont pris d'assaut ma tête. Ils m'ont guidé vers la démesure des sens. À force de vouloir m'alphabétiser partout et nulle part, ici et là-bas, en tout le monde, en personne, je prends la forme d'un syllabaire aveuglant. Les voyelles buccales me sortent du nez, les voyelles nasales me sortent de la bouche ; de l'œil, je chie des consonnes en or. Les mots m'étirent les veines, me punissent, me fouettent, me blessent, m'injurient, me font mettre à genoux sur une râpe à misère, me maudissent. Je baigne dans l'eau de mon corps, et je récite ma vie à l'envers, en bride, à la débandade. Je bégaie. Je vis les yeux ouverts. Je bats la nuit pour devenir fort, mais je suis piégé, cloîtré par mes propres mots. J'écris, je ne lis pas. Je dis, je ne ris pas. Je parle, je déparle. Il ne me reste plus de bouche à part entière : ce n'est que dans des bouches multiples que j'extrais à présent l'alphabétique raison d'ouvrir ma bouche. C'est ici que commence ma nouvelle vie.

V

(Il reprend son vieux carnet et fait signe d'écrire. Il déchire ses premiers écrits et reprend une nouvelle écriture)

(Un temps s'écoule)

Malheur à ceux qui me demanderont d'écrire pour l'apparence inerte des jours en liesse. Je viens de tout côté d'une île présente dans la lassitude d'un peuple cloîtré. Toute cathédrale fermée, tout asile refusé. Laissé pour compte, je parle en son nom puisqu'il ne lui reste que le tapage du silence sur une petite carte du monde, son coin de terre. Je guette son malheur, avec mes sens, dans l'odeur âcre de ses rues morcelées où il est interdit d'interdire. Je ne suis homme que pour défendre le rire de ses enfants, leur cerf-volant de Carême.

Femme je suis, pour donner forme à sa splendeur inébranlable sur mes seins assoiffés de mains et d'argile. Quand je mourrai, ce sera dans la ferme conviction de laisser place à la lumière qui luira sur son front. Dès lors, on verra sa vraie couleur. Ni blanc, ni noir, encore moins marron. Couleur soleil, mon peuple. Celui que je peinais à dessiner en 1990 lorsque j'étais gosse dans cette classe qui débordait d'enfants affamés devant des professeurs qui leur demandaient de réciter des glorieux chapitres légués par nos héros de la guerre d'indépendance.

(Il récite en chantant des leçons apprises par cœur dans des livres d'histoire, bras croisés, tel un écolier)

En me renversant, on n'a abattu à Saint-Domingue que le tronc de l'arbre de la liberté des Noirs, mais il repoussera par ses racines, parce qu'elles sont profondes et nombreuses. Allez remercier Dieu, car je vous livre la vie, mais ne revenez plus jamais ici. *Aya Bombé !* *Aya Bombé !* Les esclaves qui ne seront point nourris, vêtus et entretenus par leurs maîtres, selon que nous l'avons ordonné par ces présentes, pourront en donner avis à notre procureur général et mettre leurs mémoires entre ses mains, sur lesquels et même d'office, si les avis viennent d'ailleurs, les maîtres seront poursuivis à sa requête et sans frais ; ce que nous voulons être observés pour les crimes et traitements barbares et inhumains des maîtres envers leurs esclaves. Boisrond, je te charge d'exprimer au peuple mes sentiments à l'égard des Blancs : il nous faut la peau d'un Blanc pour parchemin, son crâne pour écritoire, son sang pour encre et une baïonnette pour plume. Après ce que je viens de faire dans le Sud, si les citoyens du Sud ne se soulèvent pas contre moi, c'est qu'ils ne sont pas des hommes.

Assiégé de poignants souvenirs, je me dis : « Comment osent-elles encore me juger, moi, ces humanités entières pour lesquelles je me suis toujours donné à cru cri dans les couloirs de ma jeunesse ténébreuse ? » Ah ! Des dizaines, des centaines, des milliers, le soir, qui me visitent pour un morceau de cuisse et de sueur.

(En se caressant le corps dans un jeu d'orgasme sans retenue)

Ssss ! Allez, allez, mon beau capitaine, oh !

Hmm... navigue, navigue dans mon île, feuilles et racines moites, Ohhh... Oui... jusqu'au port de ton arrivée. Ssss ! Navigue en profondeur. Ssss ! Soit tu l'aimes, soit tu la quittes. Intègre-toi, intègre-toi. Intègre-toi ou je te fous dehors ! *Asi. Asi papi ! Suave… Dulce… Pa'lante. Ooo ! Ooo ! Pa'lante, vamo. Ooo ! Yes! You can, ohh yes we can ! You can do it, give it ! Yes you can for Jesus ! Yes, yes, you can, yes we can !*

(D'un ton colérique)

Mais comment ? Je me repose cette même question angoissante. Je veux savoir. Qui me dira comment ? Mais comment osent-ils, ces emmerdeurs de languettes, petits joueurs du « Dieu seul me voit » éternel, salir mon nom au beau milieu de leurs capitales à l'effigie de nudité publicitaire.

(En aparté)

Ignoble questionnement de l'être à lui-même tant que l'oubli subsiste encore dans sa tête comme dans son sexe.

Tu n'es pourtant pas sale, tu n'es pourtant pas moche. Prends tout ton temps, regarde-toi, regarde : Tu es bien foutue… Ah, te disent des

bouches douces : une belle femme, pas vrai.
Tu n'es pas malade, tu n'as pas le sida, tu n'as
pas le choléra. Non, c'est faux. C'est faux ce
qu'ils disent de toi ! C'est tout faux !

Victime de leur propre succès, érection
malingre, ils ont voulu mettre sur ton dos
somnambule leurs accrochages avec l'histoire.
Mais le glas du règlement s'est fait sonner,
transformant leur rêve d'Hercule en bateau,
papier mâché déchiré par des mardis-gras en
déroute. Ne me demandez pas ce qu'ils sont
devenus. Ogoun Ferraille, seul, a chanté le
libéra pour leur tête, riant à tort loin de leurs
corps imbibés de Tafia.

TROISIÈME CHANT
Ogoun rive, yo mete wanga nan baryè'm, Ogoun rive
sa gate ooo !

> *(Toujours s'adressant à son reflet, dans*
> *un jeu de transe comme chevauché par le*
> *dieu Ogoun, dieu du fer, du feu et de la*
> *guerre)*

Pye poudre sou beton chire fant zòtèy : se mwen !
Manman kochon disèt tete karant pitit : se mwen
Gwo palto kachèt bidjonèl tout tchaw pèpè kenedi pou
mizik latrin depotwa kolera djòl sikre : sa se ou

Mizik vant rale mennen vini nan pòch kanson chire
san senk : se mwen
Tiwa pou nich ravèt siyen batistè ti mandenng chita
lekòl sou bout franse machòkèt : se fout ou menm
Lannavèt lwa brize lwa kraze awousa dinozò
dechalborè zo sèvèl vap pran yo : se mwen se ou
Chikata tèt kolokolo nan valeryann manje atè pa di
mèsi : se mwen
Pichkannen pou senk dis kòb tilèzany poko fèt nan
kabann dòmi tete manman pou leyèt : se ou, ou menm,
ou menm-menm.

> *(Dans un jeu sadomasochiste, déhanche-*
> *ment et fouet à la main)*

Madichon ! Madichon ! Madichon ! Madichon !
Madichon ! Madichon pour Hollywood qui a
eu l'impertinence d'habiter mon devant-porte.
Silence, on me dit, toute la sainte journée.
Chutttt... Silence... Ça tourne !
Madichon pour Terminator
Madichon !
Madichon pour Predator
Madichon !
Madichon pour Dracula
Madichon !
Madichon pour Anaconda
Madichon !

Madichon pour Gozzila
Madichon !
Madichon pour Superman
Madichon !
Madichon pour Batman
Madichon !
Madichon pour V, W, X man
Madichon ! Madichon ! Madichon ! Madichon !

Ce sont des ti-jaloux, ces gens-là. Sans toi, connaîtraient-ils le parfum de la douceur ? Hein ! Hein ! Tonnerre ! De la vraie douceur, je parle : celle qui traverse à toute bouline ton sang, dilate tes veines et te fait racler de désir enragé, concupiscence de monde fou. Celle qui te tire inéluctablement vers le bas. Celle qui te fait mettre aveuglément à genoux dans la boue, dans la crasse, dans le crachat et la puanteur dignes de ce nom. La divine douceur des *Sainte-Anise* mal fagotées, mal famées, bonniches à tout faire le jour, fantasme de bain de chance la nuit, au service des fétichistes de fortes senteurs de bouc, propriétaire de maisons respectueuses occupées par de bonnes femmes respectueuses qui prétendent ignorer que leur bel homme respectueux voltige, chiffonne et saccage respectueusement leur *reste-avec*.

(Un temps court s'écoule)

(avec fierté)

Ils regrettent, ces gens-là, de n'être pas comme toi. Jacques de Petit Trou Bonbon. Peintre-décorateur de la mer par excellence. Ferrailleur des vents fous d'ici et d'ailleurs. Démêleur devant l'éternel. Brasseur de vie pour arriver à joindre les deux bouts comme les infatigables « messieurs et madan-Sarah ». Ceux-là seuls qui n'attendent pas, les bras croisés, le transfert des deux gourdins américains ni ne cherchent à tremper leur cassave dans la bave de chiens errants. Ceux-là seuls qui préfèrent affronter, toute la sainte journée, la terreur du soleil Guédé-Nibo, *twokèt* dressant un panier rempli de marchandises fièrement assis sur leur tête, au milieu du tohu-bohu interprété par l'orchestre Croix des beaux sales du bas de la ville en ruine.

(Dans un délire dialectique)

Ils ne connaissent pas ça, eux. Ils ne le connaissent pas. Ils ne comprennent pas ça, eux. Ils ne le comprennent pas. Ils ne respectent pas ça, eux. Ils ne le respectent pas. Ils n'acceptent pas ça, eux. Ils ne l'acceptent pas. Mais ils ne veulent pas tout simplement le connaître, le comprendre, le respecter, l'accepter.

> *(Il quitte le miroir, part ramasser des déchets et débris qu'il met ensuite dans un récipient déposé sur sa tête. Il fait des va-et-vient sur scène et crie des marchandises de tout nom en imitant les marchandes ambulantes au marché)*

Men machann savon lave digo klowòks pay defè fab detay. Pistach griye, pistach griye... tou kale, tou kale. Pen cho, pen rrraleeee. Mabi pou doulè, mabi pou bil. Abiye timoun nan, 3 pou 5 pantalon, 3 pou 5. Pa kite'l mache pye atè, 15 goud sandal, 15 goud. Dola kilòt dola dola doula doula doula kilòt.

Ey, ti Cheri, men bèl kilòt doula wi. Vin achte non. O ! Men wi, monnamouuu. Kote'w ye la, w'ap jwenn pou tout kalte bouboun : ti bouboun, gwo bouboun. Bouboun fenmen, Bouboun louvri. O ! Se menm nou menm nan pitit, Pa jennen. Hhhmmm Vin achte.

An !! M'pa konprann ou! Kifè, ou ta renmen gen twa kilòt pou sèl ti grenn dola'w la ? Se vre cheri ! Ebyen se mwen ki pou fè w mete bwode sou ou deyò a. Tyupp !! Se pa nan bounda madan Clinton m'al wete yo pou'm vin vann la non. Gade madanm, eskize'm pou mwen.

Lè'w te chyen kibò'w te konn pot ke'w ! Zago Loray !
Ou pa gen lajan, ale sou pay, achete bastengal pou pase
nan fouk ou.

Kan'w tande yo bezwen al leve janm yo sou channmas
dimanch swa konsa, se kòmès vye malerèz yo vle
kraze nan ba lavil la. Mwen byen pwòp mwen la wi,
madanm lan vin gate san'm. Enyen ! Si'm koute nou,
m'a fenmen vye biznis mwen, m'a al lave boutèy menm
jan avè'n. Tyupp !! Depi kilè awona te bay konsa?
Eskize'm pou mwen…

Ze bouyi fig mur! Mi se! Men gwoo sak chaaaabon!
Bouuuuteeee boutee bouteeee bouteeyyy. Yeeee…
kabann anfè resò matla m'achte yo vye chenn kase
vye goumèt kase zanno lò m achte yo, dola meriken,
goudeka meriken senkant kòb meriken, libèti fratèniti,
ipeyalist, ingòdritrès, m'achte yo ! Ou menm ki gen
gratèl nan tèt, oumenm, ki gen gratèl nan men, ou
menm ki gen gratèl devan, ou menm ki gen gratèl dèyè,
Pwoche kote'm, mwen gen solisyon pou ou. Gason ki
pa anfòm nan fè choz. Gason ki pa ka kanpe djanm.
Gason k ap fè bèk atè. Gason zafè pa bon. Gason
mòlòlò. Gason anmède pwèl. Avanse bò machin lan
mande'm kraaze douvan, mande m baton loray,
mande m fini ak sa, mande m klou gagit, mande'm
king se wa…

(Il se défait de sa posture de marchande)

Ils ne comprennent pas ça, eux. Ils ne le comprennent pas. Ils ne respectent pas ça, eux, ils ne le respectent pas. Ils n'acceptent pas ça eux, ils ne l'acceptent pas. Mais ils ne veulent pas tout simplement le connaître, le comprendre, le respecter, l'accepter.

Mais toi !

(Se retournant, pointant du doigt son reflet. Il le menace en lui collant plusieurs accusations).

Toi qui, comme moi, as souffert de leurs crachats en pleine gueule, de leur pisse sur nos têtes sans corps, de leurs coups de botte sadiquement jouissifs, de la mitraille de leur sexe,
Toi-là, *ti garçon vivi* qui sourit quand ils nous prennent en Kodak au milieu de nos quartiers bidons, nus et pigeon au vol, pour une vente aux misères dans leur musée moderne,
Toi, homme femme, *garçon-macommère*, *diva-bidon*, artiste tête *bord-bêche* agenouillé pour un *ti boeuf* dans leur salle de fête et de crasse,
Toi, virginité conquise, marchandise dans leur commerce faussement équitable,

Toi, langue dénonciatrice sans grain de sel pour redresser tes tripes recroquevillées,
Toi, accroupi dans le froid de la honte devant leur bureau-bourreau, en quête d'identité,
Toi, ayant marché des jours et des nuits sur les eaux pour blanchir une peau de rêve,

(Il ouvre les bras à la manière d'un prêtre dans un appel religieux)

Viens. Viens là. Viens, je te dis !

(En s'énervant)

Rallie-toi à ma cause ! Viens ! L'heure de la dignité nous cherche. Je suis ton chemin, ta seule vérité, ta vie.

Vini ! Vin jwenn mwen. Vini ! Ou t ap dòmi, kounye a ou reveye. Kounye a je w kale pi rèd pase lalin k ap voye je sou latè beni. Yo pa vle w di sa, fòk ou di l, pale l, ekri l, chante l nan lang ou pito a, lanng ki mache nan san w lan. Paske, batistè pou batistè, ou fè sa. Levasyon pou levasyon ou jwenn ak sa. Relijyon pou relijyon, se zafè pa w. Bondye pou Bondye ou konn sa. Ou konn sa twòp, menm. Pa kite pyès moun maske w, tande. Pa kite pyès moun liminen bouji debò sou tèt ou tande. Vini ! Manyè kite makdonal an repo pou manje griyo ak poul peyi. Fè yon ti kite konnflèks dodo

pou w sa byen manje mayi w tout jan : mayimoulen ak
pwa tchaka chanm-chanm mayi bouyi boukannen. Sa
k ap pran w konsa la pitit ? Yon sèl kou, ou degize
an boujwa toudenwa. Sa k ap pran w pitit ? Ou bliye
abako ak karabela. Bouyon lam lyann panyen dife
bwa ba w kè plen, se biftèk anmbègè nan gwo frizè !
Sa k ap pran w nan pale franse anba wozèt konsa,
« mèzwi ». Gade, pitit, Vin danse anba pye mapou w,
vin bat tanbou w danse yanvalou doba w tande. Vini
yise monte tèt ou nan direksyon solèy. Mache kontre
ak gran van bab pou bab. Simayen lespwa. Simayen
libète. Libète pou lanmou ak lavi. Libète pou peyi w
ak pou tout moun. Se sa pou w fè, se misyon w sou
latè. Ou pa genyen lòt ankò. Ou p ap janm genyen lòt !

Tu ne peux donc que gémir et attendre
stérilement ta délivrance. Je t'invite à faire
du porte-à-porte et délivrer à tes frères un
message de liberté. Viens avec moi, viens.
Allons calomnier, à notre tour, la mer,
responsable de notre salut.

Au nom du père et du fils et du Saint-Esprit,
amen !

VI

*(Il est à genoux, une bougie est allumée
devant lui)*

Je vous salue même sans grâce. Je suis avec vous
n'ayant point d'interdiction d'aller voir ailleurs.
Je vous suis fidèle comme je le suis dans mes
amours aux pieds de mes amants fugaces. Et,
dans la profondeur de ma solitude inavouée,
me voici encore venu à toi, yeux bandés,
cervelle nue. Pour toi – confession intime –,
j'ai conquis la moiteur du feu. Pour toi, je suis
né et mourrai sans orgueil pour remonter à
mes racines, la surface tourbillonnante me
replaçant vertigineusement au plus profond
des entrailles de Damballah. D'ici l'attente de
cette puissance régénératrice, prends-moi. Je
veux tomber à tes pieds comme une feuille
handicapée de lumière et de sève.

Je suis fatigué. J'ai besoin de ton cœur de femme comme refuge. Toi qui comprends et ramasses notre douleur de femme banale pour la ramener jusqu'à Dieu. Préservée de tout péché mortel, à l'heure qu'il est, tu aurais été comme moi, mère des nuits ténébreuses. Mais ta blanche pureté t'a éloignée du destin mortel et te place au rang de mère éternelle. Je dis merci. Merci au ciel de t'avoir épargné le sort de bohème. Merci pour la grâce infinie tombée sur toi. Merci pour ta bénédiction partagée avec nous. Merci de nous avoir fait femme. Merci, merci, merci.

Me voici venue à toi, dents arrachées, ligotée, assoiffée de liberté. J'ai perdu ma voix dans le concert des projectiles.
J'ai perdu mon trône.
J'ai perdu ma paix.
J'aurais pu vivre, si jamais...
Joyau effrité voyageant de mains en mains, je n'ai pas cessé d'être souillée. J'ai piétiné dans les égouts le sang noir de mes frères zombis. J'ai heurté l'haleine des mortels dans la sépulture de la vie.
Ici, dans la cité perdue, mon silence se fait bavardage des tumultes de l'abîme,

Sur le tableau maléfique des grandeurs :
Conjugaison d'une race déchue,
Écriture sanguinaire,
Lecture cadavérique.
La peste a pris possession de ma vue. Ma mémoire se noie dans l'amnésie en dansant chaque jour un *rara* de violence.

Me voici encore venue à toi, là où marche nue la mort pour séduire ma pitié.
Je ne crains point d'être entièrement finie.
Mais il m'arrive, malgré moi, de croire en la vie, séquestrée dans les gouffres de ma mémoire poussiéreuse.
Il m'arrive, non pas de blasphémer, mais de chercher les résonnances de ta lumière dans le tronc lascif du tambour battant.
Il m'arrive de clamer mon identité à l'entrée du bordel démoniaque.

Je suis qui ?
Je suis quoi ?
Nous sommes qui ?
Nous sommes quoi ?

(Une voix inconnue d'homme et de femme retentit soudainement en chœur)

Étrange putain d'extrême envergure à mamelles tatouées de sel et de sable.

Femme nue dévorée entre le ciel et la cassure d'un temps beaucoup trop pesant pour s'appeler *éternité-lune.*

> *(Jacques lève la tête vers le ciel. Un temps.*
> *Il éteint la bougie. Noir sur la scène.)*

FIN

Achevé d'imprimer en octobre 2014
par CPI Firmin Didot
à Mesnil-sur-l'Estrée (Eure)

Dépôt légal : novembre 2014
N° d'impression : 124976

Imprimé en France